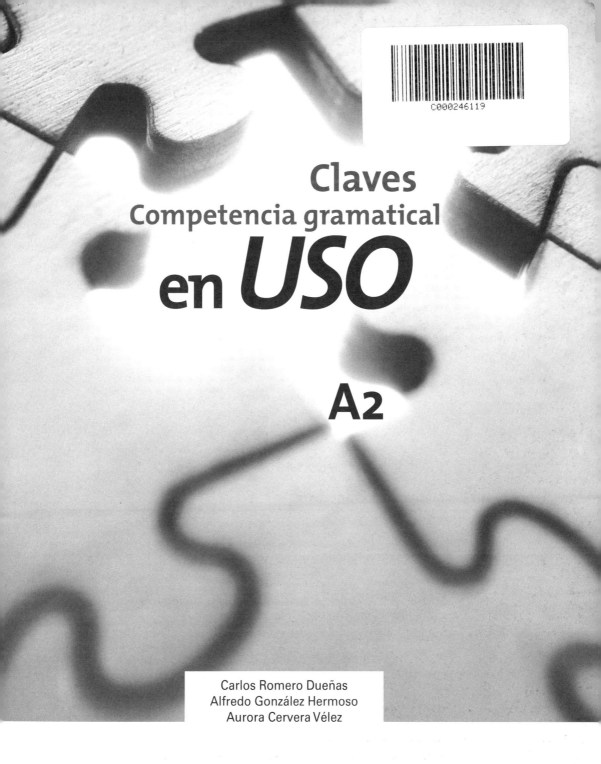

Claves
Competencia gramatical
en *USO*

A2

Carlos Romero Dueñas
Alfredo González Hermoso
Aurora Cervera Vélez

edelsa

GRUPO DIDASCALIA, S.A.
Plaza Ciudad de Salta, 3 - 28043 MADRID - (ESPAÑA)
TEL.: (34) 914.165.511 - (34) 915.106.710
FAX: (34) 914.165.411
e-mail: edelsa@edelsa.es
www.edelsa.es

Tema 1. Los artículos

Ejercicio 1.
1. las; 2. el; 3. las; 4. las; 5. la; 6. el; 7. la; 8. el; 9. la.

Ejercicio 2.
1. la; 2. el; 3. una; 4. unas; 5. las.

Ejercicio 3.
1. del; 2. al; 3. del; 4. al; 5. del.

Ejercicio 4.
1. las; 2. los; 3. los; 4. el; 5. los.

Ejercicio 5.
1. la; 2. la; 3. el; 4. un; 5. las; 6. un; 7. el; 8. la.

Ejercicio 6.
1. la; 2. una; 3. ø, la; 4. la; 5. ø; 6. ø; 7. el; 8. un; 9. El; 10. ø; 11. Las.

Ejercicio 7.
1. los, ø; 2. un, ø; 3. la, la; 4. las, los, unos; 5. ø, ø.

Ejercicio 8.
1. una; 2. el; 3. las, los; 4. los; 5. Los; 6. los; 7. un.

Ejercicio 9.
1. un; 2. un; 3. El; 4. el; 5. el; 6. un; 7. el; 8. la; 9. ø; 10. la; 11. ø; 12 la.

Tema 2. Los sustantivos y los adjetivos

Ejercicio 1.
Masculino: buzón; color; día; lunes; problema; sistema; iglú; mapa; calor.
Femenino: propina; espalda; flor; verdad; salud; vejez; razón; bicicleta; mano; foto.

Ejercicio 2.
1. los martes; 2. las razones; 3. las sales; 4. los paraguas; 5. los autobuses; 6. los ascensores; 7. las libertades; 8. los iglús; 9. las actrices; 10. las flores.

Ejercicio 3.
1. tímida, individualista; 2. estudioso, responsable; 3. inteligente, trabajadora; 4. mentiroso, egoísta; 5. cariñosa, sensible.

Ejercicio 4.
1. ojos azules; 2. camas, incómodas; 3. plato mexicano; 4. mujer, trabajadora; 5. ciudades peruanas; 6. actores españoles.

Ejercicio 5.
1. un, clásica, una, moderna; 2. un, fresco, una, interesante; 3. una, pequeña; 4. un, didáctico; 5. una, grande, ligera; 6. una, gris; 7. un, naranja.

Ejercicio 6.
1. un, pequeño, íntimo; 2. deliciosos; 3. Los, caros, exquisitos; 4. chilenos; 5. simpáticos; 6. buenísimas.

Ejercicio 4.
1. Este café está muy malo; 2. El tren es muy rápido; 3. Es una comida muy pesada; 4. Este pastel es muy dulce; 5. Paso por calles muy estrechas; 6. Aquí respiramos un aire muy puro; 7. Esta corbata es muy elegante; 8. Las camisas están muy blancas; 9. Pilar está muy delgada; 10. Mi novio es muy listo.

Ejercicio 5.
1. mejores; 2. mejor; 3. mayor; 4. peores; 5. peores; 6. menor.

Ejercicio 6.
1. muy pobre; 2. el más gordo; 3. la mejor; 4. tardísimo; 5. el peor.

Ejercicio 7.
1. larguísimo; 2. pequeñísimo; 3. elegantísimos; 4. altísimo; 5. interesantísimo; 6. buenísimos; 7. feísimos; 8. simpatiquísimos; 9. muchísimo; 10. muchísima; 11. grandísimo; 12. cerquísima.

Tema 9. Los indefinidos

Ejercicio 1.
1-d; 2-a; 3-b; 4-c.

Ejercicio 2.
1. No tengo nada para ti en este bolsillo; 2. Nadie te va a dar un regalo; 3. Tengo contacto con alguno de mis compañeros; 4. ¿No me recomiendas ninguna película de Almodóvar?; 5. Nada me sale muy bien.

Ejercicio 3.
1. Ningún; 2. alguien; 3. Ningún; 4. alguna; 5. algo; 6. alguien; 7. alguna; 8. nada; 9. nada; 10. algún.

Ejercicio 4.
1. alguien; 2. algo; 3. alguien; 4. nada; 5. nadie; 6. algo; 7. nadie; 8. Algo; 9. Alguien, nadie.

Ejercicio 5.
1. algún; 2. Algunas; 3. ninguna; 4. algún; 5. ninguna; 6. algunas; 7. ningún.

Ejercicio 6.
1-b; 2-g; 3-c; 4-e; 5-d; 6-j; 7-i; 8-f; 9-a.

Ejercicio 7.
1. otro; 2. ningún; 3. todas; 4. todas; 5. todo; 6. nadie.

Ejercicio 8.
1. no tiene ninguna; 2. no sale ninguno; 3. no lleva ninguno; 4. no ve ninguna; 5. no le llama nadie; 6. no lee ninguno; 7. no compra nada.

Ejercicio 9.
1. nada; 2. otro; 3. alguien; 4. todos; 5. nada; 6. algunos; 7. Alguien.

Tema 10. Los pronombres personales de objeto directo y objeto indirecto

Ejercicio 1.
1. Os la decimos; 2. Te la cuento; 3. ¿No me lo das?; 4. Nos la ponen; 5. Os las envío; 6. Te lo vendo; 7. ¿Os los compro?

Ejercicio 2.
1. Se las facilito; 2. Se la enseño; 3. Se los soluciono; 4. Se las pinto; 5. Se la escribo.

Ejercicio 3.
1. Les; 2. Les; 3. Les; 4. Les ; 5. Le ; 6. Le ; 7. Le.

Ejercicio 4.
1-f ; 2-a ; 3-c ; 4-h ; 5-g ; 6-b ;7-e.

Ejercicio 5.
1. Está escribiéndomela; 2. Me gusta regalároslos; 3. Acabo de dársela; 4. Está poniéndosela; 5. Le encanta comprárselos.

Ejercicio 6.
1. no me las trae; 2. se los aprueban; 3. nos lo presta; 4. no me las enseña; 5. no me la hace.

Ejercicio 7.
1. Me los; 2. Nos la; 3. Se los; 4. Nos las; 5. Me las; 6. Nos los; 7. Te lo; 8. Nos la.

Ejercicio 8.
1. Sí, ahora os la paso; 2. Estoy terminándotela; 3. Claro, os la estoy diciendo; 4. Vale, te lo compro para tu cumpleaños; 5. Sí, se las lavo ahora mismo.

Ejercicio 9.
1. la; 2. la; 3. le; 4. a mí; 5. me; 6. a nosotras, 7. nos; 8. nos; 9. me; 10. a mí; 11. me; 12. Ø; 13. a mí; 14. me.

Ejercicio 10.
1. nos-e Les; 2. Les-a le, a mí, me; 3. Les-b; 4.-d Les.

Tema 11. Las locuciones de lugar

Ejercicio 1.
1. Las gafas están entre el periódico y el libro; 2. Las gafas están detrás del periódico; 3. Las gafas están a la derecha del periódico; 4. Las gafas están encima del periódico; 5. Las gafas están debajo del periódico.

Ejercicio 2.
1. detrás; 2. encima; 3. debajo; 4. dentro; 5. izquierda; 6. Cerca; 7. Enfrente; 8. al lado.

Ejercicio 3.
1. lejos; 2. detrás; 3. fuera; 4. debajo; 5. fuera; 6. cerca; 7. debajo; 8. a la derecha; 9. detrás.

Ejercicio 4.
1. izquierda; 2. entre; 3. dentro; 4. delante; 5. cerca; 6. al lado; 7. enfrente.

Ejercicio 5.
1. fuera de; 2. dentro; 3. fuera de; 4. lejos de; 5. cerca; 6. a la izquierda; 7. lejos de; 8. delante de; 9. delante; 10. Detrás; 11. Enfrente de.

Ejercicio 6.
1. Detrás del payaso; 2. Delante del payaso; 3. A la izquierda del payaso; 4. Entre las piernas del payaso; 5. A la derecha del payaso; 6. Enfrente del payaso; 7. Fuera de la caja; 8. Dentro de la caja; 9. Debajo de la caja.

Tema 12. Los adverbios de modo

Ejercicio 1.
1. simplemente; 2. tranquilamente; 3. lentamente; 4. difícilmente; 5. teóricamente; 6. rápidamente; 7. fácilmente; 8. maravillosamente; 9. cómodamente; 10. recientemente; 11. felizmente; 12. tristemente; 13. magníficamente; 14. tontamente; 15. mecánicamente; 16. extraordinariamente; 17. realmente; 18. pacíficamente; 19. secamente.

Ejercicio 2.
1. Recibe a sus padres felizmente; 2. Siempre soluciona los problemas fácilmente; 3. Mi madre cocina maravillosamente; 4. Aquí todo el mundo hace su trabajo rápidamente; 5. Estás enfermo, tienes que hacer las cosas tranquilamente; 6. Descansa cómodamente en el sofá; 7. Carmen toca el piano extraordinariamente; 8. Hablas secamente; 9. Podemos solucionar esto pacíficamente, ¿no?; 10. Responde a las preguntas mecánicamente; 11. Teóricamente no podemos estar aquí; 12. Habla con su abuelo alegremente.

Ejercicio 3.
1. rápido; 2. egoísta; 3. tranquila; 4. difícil; 5. real; 6. perfectamente; 7. fácilmente; 8. perfectamente.

Ejercicio 4.
1-f; 2-b; 3-h; 4-g; 5-d; 6-e; 7-a.

Ejercicio 5.
1. Generalmente; 2. claramente; 3. silenciosamente; 4. rápidamente; 5. completamente; 6. momentáneamente; 7. frecuentemente; 8. perfectamente; 9. eficazmente.

Ejercicio 6.
1. locamente; 2. Posiblemente; 3. efectivamente; 4. únicamente; 5. rápidamente; 6. activamente; 7. amablemente.

Ejercicio 7.
1. mecánicamente, atentamente, rápidamente; 2. completamente, estupendamente.

Tema 13. Los adverbios de cantidad

Ejercicio 1.
1. bastante; 2. demasiadas; 3. bastantes; 4. demasiado, 5. bastante; 6. poco; 7. demasiado; 8. mucho; 9. demasiadas.

Ejercicio 2.
1. poco; 2. muchas; 3. demasiado; 4. demasiada; 5. muchas; 6. poca, demasiado; 7. mucho; 8. poco; 9. bastantes; 10. mucha.

Ejercicio 3.
1. mucho; 2. demasiada; 3. pocas; 4. demasiados; 5. bastantes; 6. pocas, muchos.

Ejercicio 4.
1. bastante; 2. mucho; 3. demasiado; 4. muchos; 5. mucho; 6. un poco; 7. demasiados.

Ejercicio 5.
1. demasiado; 2. suficientes; 3. suficiente; 4. mucho, poco; 5. bastantes; 6. poco; 7. poco; 8. demasiada.

Ejercicio 6.
1.1-b; 1.2-a; 2.1-a; 2.2-b; 3.1-a; 3.2-b; 4.1-b; 4.2-a; 5.1-a; 5.2-b.

Tema 14. Estar + gerundio

Ejercicio 1.
1. trabajando; 2. viviendo; 3. sabiendo; 4. dando; 5. viendo; 6. haciendo; 7. viniendo; 8. poniendo; 9. saliendo; 10. yendo; 11. siendo; 12. escuchando; 13. subiendo; 14. diciendo.

Ejercicio 2.
1. Pepe está bebiendo un vaso de leche; 2. Mis padres están comiendo en casa; 3. El tren está llegando a la estación; 4. Estoy paseando por el parque; 5. Se está duchando con agua fría; 6. Están hablando por teléfono; 7. María está escribiendo correos electrónicos.

Ejercicio 3.
1. está abriendo; 2. está comiendo; 3. está trabajando; 4. está haciendo; 5. estoy escuchando; 6. Estoy viendo; 7. Estamos pensando.

Ejercicio 4.
1-a; 2-d; 3-e; 4-f; 5-c.

Ejercicio 5.
1. Estoy viendo; 2. Estoy estudiando; 3. Estoy escribiendo; 4. Estoy afeitándome; 5. Estoy pintando; 6. Estoy abriendo; 7. Estoy hablando; 8. Estoy conduciendo; 9. Estoy escuchando.

Ejercicio 6.
1. (Nosotros) estamos tomando un café con leche; 2. Los alumnos están conversando a través de Internet; 3. Fátima está abriendo la tienda; 4. (Yo) Estoy comprando en el supermercado; 5. Los alumnos están saliendo de clase; 6. Luis está haciendo una foto; 7. El gato está durmiendo en el sofá; 8. La directora está subiendo las escaleras; 9. Los niños están leyendo los cuentos.

Ejercicio 7.
1. estás haciendo; 2. estoy trabajando; 3. quieres; 4. bebo; 5. está lloviendo; 6. llueve; 7. Está hablando; 8. presento.

Ejercicio 8.
1. acompañáis, Estamos viendo; 2. Vienes, Prefiero, Estoy esperando; 3. Jugamos, siento, Estoy estudiando, tengo.

Ejercicio 9.
1. construyendo; 2. abriendo; 3. creando; 4. ayudando; 5. ampliando; 6. mejorando; 7. protegiendo; 8. plantando; 9. haciendo.

Tema 15. *Ir a* y *acabar de*

Ejercicio 1.
1. Va a llamar por teléfono a sus padres; 2. Llueve mucho y van a coger el paraguas; 3. Va a empezar la conferencia; 4. Me duele el estómago y voy a tomar algo; 5. ¿Vais a ir de vacaciones?; 6. El coche no funciona y va a llamar al mecánico; 7. Tenemos un examen y vamos a estudiar toda la noche; 8. Esta tarde Juan va a jugar al tenis; 9. ¿Vas a limpiar tú sola toda la casa?

Ejercicio 2.
1. Voy a acostarme; 2. Voy a comer; 3. Voy a beber; 4. Voy a ponerme; 5. Voy a sentarme; 6. Voy a ir.

Ejercicio 3.
1. Voy a buscar; 2. Voy a ponerme; 3. Vamos a preguntar; 4. Va a bajar; 5. Van a preparar.

Ejercicio 4.
1. El policía acaba de entrar en el banco; 2. Acabamos de comer una paella de pollo; 3. Se acaba de ir con sus amigos; 4. Acabo de escribir un correo electrónico; 5. ¿Acabáis de salir de clase ahora?; 6. Acaban de explicar su biografía; 7. ¿Acabas de llegar a casa ahora?

Ejercicio 5.
1. va a; 2. Acaba de; 3. Acaba de; 4. vais a; 5. Acaba de; 6. Voy a.

Ejercicio 6.
Expresar intención de hacer algo en el futuro: voy a ir al cine; voy a comprar la entrada.
Expresar una acción futura inmediata como resultado del presente: voy a poner la calefacción.

Ejercicio 7.
1-a va a; 2-g van a; 3-b vamos a; 4-e vamos a; 5-c voy a; 6-h voy a; 7-f va a.

Ejercicio 8.
1. ¿En qué medio de transporte van a ir?, En autobús; 2. ¿A qué hora van a llegar a Segovia?, A las 10.15; 3. ¿Qué van a visitar por la mañana?, El Alcázar, el Acueducto y la Catedral; 4. ¿Dónde van a comer?, En un restaurante típico; 5. ¿A qué hora van a comer?, A las 13.30; 6. ¿Qué van a visitar por la tarde?, Las iglesias románicas; 7. ¿A qué hora van a regresar?, A las 19.00.

Tema 16. Las perífrasis de obligación, prohibición y posibilidad

Ejercicio 1.
1. Tenéis que llevar corbata a la fiesta; 2. Tenemos que hacer más deporte; 3. Tengo que trabajar un poco más deprisa; 4. Tienen que pagar la factura de la electricidad; 5. Tenemos que corregir nuestros errores; 6. Tienes que pasar este texto al ordenador; 7. Tenéis que cerrar los ojos.

Ejercicio 2.
1. Tengo que; 2. hay que; 3. tengo que; 4. tengo que; 5. hay que; 6. Tienes que; 7. hay que.

Ejercicio 3.
1. Tiene que saber; 2. tenéis que; 3. Hay que sacar; 4. hay que poner; 5. hay que beber; 6. tenéis que hacer.

Ejercicio 4.
1. no se puede; 2. no se puede; 3. se puede; 4. se puede; 5. no se puede; 6. se puede; 7. no se puede.

Ejercicio 5.
1. puedo; 2. tienes que; 3. pueden; 4. tengo que; 5. podéis.

Ejercicio 6.
1-f; 2-a; 3-b; 4-e; 5-d.

Ejercicio 7.
1-a; 2-b; 3-c.

Ejercicio 8.
1. Hay que ponerse el cinturón; 2. Hay que encender las luces; 3. No se puede pasar; 4. Hay que girar; 5. No se puede girar a la derecha; 6. No se puede ir en bicicleta; 7. No se puede

correr a más de 40 Km/h; 8. No se puede adelantar; 9. Hay que pararse; 10. Se puede ir en bicicleta; 11. No se puede aparcar.

Tema 17. Las perífrasis con *empezar, volver* y *seguir*

Ejercicio 1.
1. vuelve a tomar; 2. volvemos a bañar; 3. volvéis a hacer; 4. vuelvo a ir; 5. vuelve a explicar.

Ejercicio 2.
1. Los chicos empiezan a salir del colegio; 2. Ahora empezamos a creer en ti; 3. Me empiezas a molestar; 4. Empieza a llover un poco; 5. Mañana empiezo a ir a la piscina; 6. ¿Cuándo empezáis a trabajar?; 7. Empiezo a actuar en diez minutos.

Ejercicio 3.
1. Siguen durmiendo la siesta; 2. ¿Seguís estudiando todavía?; 3. Sigo hablando por teléfono; 4. ¿Sigues leyendo en periódico?; 5. Seguimos mirando el paisaje; 6. ¿Sigue usted esperando al director?

Ejercicio 4.
1. Empieza a ir a una academia, pero sigue estudiando español en la universidad; 2. Empieza a funcionar el aire acondicionado, pero sigue haciendo calor; 3. Empieza a salir el sol, pero sigo teniendo frío; 4. La directora empieza a hablar, pero la gente sigue haciendo ruido.

Ejercicio 5.
1. vuelvo a trabajar; 2. sigues trabajando; 3. empiezo a trabajar; 4. vuelvo a llevar; 5. sigo siendo.

Ejercicio 6.
1-a; 2-g; 3-e; 4-b; 5-c; 6-f; 7-h.

Ejercicio 7.
1. Vuelve a estudiar 2º de Bachillerato; 2. Vuelves a llegar tarde; 3. Este año empieza a estudiar idiomas; 4. Vuelve a escuchar el mismo disco; 5. Empezó a llover al salir de casa; 6. Se cae al suelo y se vuelve a levantar; 7. Hoy empiezo a leer el libro de Vargas Llosa; 8. Tiene una salud delicada. Vuelve a estar enfermo; 9. Mañana empiezan a poner los artículos en rebajas.

Ejercicio 8.
1. empiezan a; 2. vuelve a; 3. vuelve a; 4. empieza a; 5. Vuelve a.

Tema 18. Las conjunciones

Ejercicio 1.
1. y; 2. e; 3. e; 4. y; 5. e; 6. y; 7. e; 8. e; 9. y.

Ejercicio 2.
1. u; 2. o; 3. u; 4. o; 5. u; 6. o; 7. u, o; 8. o; 9. u, u; 10. u.

Ejercicio 3.
1. e; 2. y; 3. u; 4. o; 5. o; 6. e; 7. u; 8. u; 9. u; 10. o.

Ejercicio 4.
1-j; 2-a; 3-b; 4-g; 5-i; 6-e; 7-c; 8-h; 9-d.

Ejercicio 5.
1. o, y; 2. u, y; 3. y, o; 4. o, y.

Ejercicio 6.
1. y, o, pero; 2. pero, o, y; 3. o, pero, y; 4. o, pero, y; 5. pero, y, o.

Ejercicio 7.
1. pero; 2. o; 3. y; 4. o; 5. pero; 6. o; 7. pero.

Tema 19. Verbos de emoción y sentimiento

Ejercicio 1.
1. nosotros / nosotras; 2. ti; 3. mí; 4. vosotros / vosotras; 5. él / ella / usted.

Ejercicio 2.
1. le gustan; 2. les gusta; 3. les gusta; 4. les gustan; 5. les gustan; 6. nos gusta; 7. os gusta; 8. le gusta.

Ejercicio 3.
1. Me parecen aburridos; 2. Les parece interesante; 3. Nos parecen limpias; 4. Me parece tranquila; 5. Me parece caro; 6. Me parece mal; 7. Nos parece bien.

Ejercicio 4.
1. apetece; 2. encanta; 3. interesa; 4. encanta; 5. molesta; 6. preocupa; 7. apetece.

Ejercicio 5.
1. quieren, me gusta, quiero; 2. quiere, le gusta, le parece; 3. le gustan, me gustan, me parecen, Quiero; 4. quieres, me gusta, Me parece.

Ejercicio 6.
1. apetece; 2. preocupa, duelen; 3. molesta; 4. interesan.

Ejercicio 7.
1. A mí sí; 2. A mí sí; 3. A mí no; 4. A mí no; 5. A mí sí; 6. A mí no; 7. A mí sí.

Ejercicio 8.
1. A mí tampoco; 2. A mí tampoco; 3. A mí también; 4. A mí también; 5. A mí tampoco; 6. A mí también; 7. A mí tampoco.

Ejercicio 9.
1. te gusta, Me gusta, A mí, me gusta; 2. te gusta, A mí, les gusta, A mí, me gusta, les gusta.

Tema 20. El pretérito indefinido

Ejercicio 1.
1. Vi una película; 2. Cerró la puerta; 3. Me aburrí en casa; 4. Vimos la tele; 5. Viajé por España; 6. Contó mentiras; 7. Esperamos el autobús; 8. Escribieron poesías; 9. Se paseó por el parque; 10. Entendieron la pregunta; 11. Estudiasteis mucho; 12. Pretendió hacerlo; 13. Escuchamos la radio; 14. Encendió la luz; 15. Alquilaron un piso; 16. Encontró la calle; 17. Escuchaste música; 18. Te bañaste en el mar; 19. Resolvimos el problema; 20. Volviste a casa; 21. Subiste las escaleras.

Ejercicio 2.
1. pretérito, salir; 2. pretérito, estudiar; 3. presente y pretérito, vivir; 4. presente y pretérito, hablar; 5. pretérito, esperar; 6. pretérito, comer; 7. presente, bailar; 8. pretérito, saludar; 9. pretérito, pasar; 10. presente y pretérito, entrar; 11. pretérito, correr.

Ejercicio 3.
1. Hice; 2. Llegué; 3. Estuvieron; 4. pasamos; 5. fueron.

Ejercicio 4.
1. María fue al cine; 2. Hice todos los ejercicios del cuaderno; 3. El avión no llegó a su hora; 4. Hizo las cosas muy deprisa; 5. Fui camarero; 6. Juan estuvo muy contento; 7. Se fue de vacaciones a América; 8. Rosendo no estuvo contento; 9. Pedro tuvo mucho trabajo; 10. No hizo nada; 11. Hicimos las camas.

Ejercicio 5.
1. Desayuné; 2. Estuve; 3. Comí; 4. Volví; 5. Fui; 6. Fui; 7. Invité; 8. Fue.

Ejercicio 6.
1- f Hizo; 2- a Escribió; 3- g Ganó; 4- d Rodó; 5- b Grabó; 6- c Jugó.

Ejercicio 7.
1. llevó la niña al pediatra; 2. comió con el director de RR. HH.; 3. envió el informe a «Equifass»; 4. se reunió con la profesora de la niña; 5. fue a clase de alemán; 6. cenó con unos compañeros de la universidad.

Ejercicio 8.
1. vivió; 2. estudió; 3. cumplió; 4. fue; 5. recorrió; 6. participó; 7. perdió; 8. llamaron; 9. se casó; 10. Publicó; 11. tuvo; 12. marchó; 13. metieron; 14. empezó; 15. trasladó; 16. escribió; 17. reunió; 18. llegó; 19. apareció; 20. publicaron; 21. libró; 22. Fue.

Tema 21. El pretérito perfecto

Ejercicio 1.
1. han aprendido; 2. ha visitado; 3. han ido; 4. has entendido; 5. han pedido; 6. has dormido.

Ejercicio 2.
1-d; 2-b; 3-a; 4-c; 5-f.

Ejercicio 3.
1-f Hemos oído; 2-e he comido; 3-a Ha ido; 4-c se ha muerto; 5-d ha puesto.

Ejercicio 4.
1. Has visto, he visto; 2. Has escrito, he escrito; 3. Has hecho, he hecho; 4. Has calculado, he calculado; 5. Has envuelto, he envuelto.

Ejercicio 5.
1. ha puesto; 2. se ha opuesto; 3. han muerto; 4. han roto; 5. hemos leído; 6. han dicho; 7. He hecho; 8. han envuelto; 9. hemos visto; 10. han propuesto.

Ejercicio 6.
1. Has llegado, He llegado; 2. Has visitado, la he visitado, He estado; 3. Has estudiado, He jugado; 4. Has ayudado, lo he ayudado; 5. Has preparado, la he preparado, La ha preparado.

Ejercicio 7.
1. Ha llegado; 2. Lo he leído; 3. He tomado; 4. las habéis comprendido; 5. Has tenido.

Ejercicio 8.
1. ha subido; 2. Ha llegado; 3. ha salido; 4. Ha entrado; 5. ha saludado; 6. Se han sentado; 7. ha dado; 8. ha dado; 9. ha guardado; 10. ha vuelto; 11. ha salido; 12. Ha dejado; 13. ha tomado; 14. he podido; 15. se ha quedado.

Tema 22. Los adverbios de tiempo

Ejercicio 1.
1-c; 2-b; 3-a; 4-d.

Ejercicio 2.
1. Siempre; 2. ahora; 3. Nunca; 4. después; 5. nunca; 6. pronto; 7. Siempre; 8. pronto; 9. ahora.

Ejercicio 3.
1. luego; 2. Pasado mañana; 3. tarde; 4. pronto; 5. Siempre.

Ejercicio 4.
1. mañana; 2. ahora; 3. luego; 4. siempre.

Ejercicio 5.
1-b; 2-a; 3-c; 4-e.

Ejercicio 6.
1. Siempre está de buen humor; 2. Casi nunca se enfada con nosotros; 3. A veces nos pone canciones en clase; 4. Normalmente habla claro y despacio; 5. Solo hace un examen al mes; 6. Generalmente explica muy bien la gramática.

Ejercicio 7.
1. 5; 2. 2; 3. 6; 4. 7; 5. 3; 6. 9; 7. 4; 8. 8

Ejercicio 8.
1-f; 2-e; 3-c; 4-a; 5-b.

Ejercicio 9.
Verdaderas: 1, 3, 4.
Falsas: 2, 5, 6, 7.

Tema 23. El pretérito imperfecto

Ejercicio 1.
Hablar: hablaba, hablaba, hablábamos, hablabais, hablaban; beber: bebía, bebías, bebíamos, bebíais, bebían; vivir: vivía, vivías, vivía, vivíamos, vivíais.

Ejercicio 2.
1-a; 2-b; 3-a; 4-b; 5-a.

Ejercicio 3.
1. era, tenía; 2. era, estaba; 3. Conocíamos; 4. Íbamos; 5. Veía, aprendía; 6. Era, gustaba; 7. Comíamos; 8. trabajaban, tenían; 9. tenía; 10. era, hacíamos; 11. daba; 12. había, pasábamos.

Ejercicio 4.
1. Vivía en el segundo piso de esta casa; 2. Jugábamos a las cartas todos los fines de semana; 3. Salía a las cinco de la mañana; 4. ¿Adónde ibas con Jaime?; 5. Leían el periódico después de desayunar; 6. Era mi último año del instituto; 7. Tenía miedo por la noche; 8. Contaba siempre las mismas cosas; 9. Volvía a casa tarde todos los días; 10. Iban a la discoteca los fines de semana; 11. Jugaba al tenis con sus compañeros de trabajo; 12. Tenía el pelo largo y muy moreno.

Ejercicio 5.
Describir algo o alguien: hacías, trabajabas, había, estaba; decir la edad: tenías; relatar acciones habituales: ayudaba, ensayaba, tocaba.

Ejercicio 6.
1. estaba; 2. llevaba; 3. tenía; 4. vivía; 5. teníamos; 6. había; 7. empezaba.

Ejercicio 7.
1-e; 2-b; 3-g; 4-a; 5-c; 6-f.

Ejercicio 8.
1. llamaba; 2. estaba; 3. podía; 4. parecía; 5. vestían; 6. llevaban; 7. gustaba; 8. daban; 9. bañaba; 10. había; 11. tenían; 12. vivía; 13. preparaba; 14. llegaban; 15. se quedaban; 16. comían; 17. hacían; 18. gustaba; 19. sacaban; 20. Hablaba; 21. movía; 22. Parecía; 23. tenía; 24. cambiaba; 25. volvía; 26. saludaba; 27. miraban.

Tema 24. El imperativo

Ejercicio 1.
1. cierra, cerrad; 2. escribe, escribid; 3. enciende, encended; 4. pronuncia, pronunciad; 5. bebe, bebed; 6. despierta, despertad; 7. piensa, pensad; 8. trae, traed; 9. mueve, moved; 10. juega, jugad.

Ejercicio 2.
1. Duerman por la noche; 2. Hable más alto; 3. Escriban un cuento; 4. Revise el trabajo; 5. Lean el periódico.

Ejercicio 3.
1. Escribid una carta a vuestra madre; 2. Jueguen con su hijo; 3. Pedid al camarero una bebida; 4. Dormid en otro cuarto; 5. Den dinero a los pobres; 6. Repitan la frase anterior; 7. Compren un regalo; 8. Empezad a comer ahora mismo; 9. Seguid cantando esa canción; 10. Estudien para el examen.

Ejercicio 4.
1. Ten; 2. Di; 3. Sal; 4. Sé; 5. Pon; 6. Di; 7. Ven; 8. Haz; 9. Sé; 10. Ve.

Ejercicio 5.
1. Haced más ejercicios gramaticales; 2. Poned atención en el trabajo; 3. Parad el coche en esa esquina; 4. Preguntad el nombre a ese señor; 5. Venid a mi casa luego; 6. Salid de casa a las diez; 7. Decid algo interesante; 8. Sed fuertes; 9. Venid a vernos el próximo domingo.

Ejercicio 6.
1-a Gira a la derecha; 2-b Para; 3-e Usa el cinturón; 4-d Enciende las luces.

Ejercicio 7.
1. Déjala; 2. Cuélgalo; 3. Guárdalos; 4. Colócalo; 5. cámbialo.

Ejercicio 8.
1. Lávate los dientes; 2. Trae la película a mi casa; 3. Los correos a vuestros amigos; 4. Da el regalo a nosotros; 5. Comprad a ella la falda.

Ejercicio 9.
1. Mezcla, Añade; 2. Lava, sécala, Échale; 3. Calienta, Corta, fríelo, Añádelo, ponle.

Tema 25. Las oraciones sustantivas

Ejercicio 1
1. llegan; 2. va; 3. hace; 4. tenemos; 5. es; 6. debemos; 7. dice, miente; 8. hay.

Ejercicio 2.
1. que sabe lo que cuesta; 2. que toma un zumo de naranja cada mañana; 3. que le gustan mucho las películas de amor; 4. que se cayó y se rompió la pierna; 5. si salen a cenar fuera esta noche; 6. que esta tarde va a ver una película española; 7. que decidió cambiar de casa y se fue al centro; 8. que no sabe dónde está el paraguas.

Ejercicio 3.
1. evidente; 2. evidente; 3. demostrado; 4. visto; 5. claro; 6. demostrado.

Ejercicio 4.
1. Pregunta(n) que dónde están las llaves de su coche; 2. Dice que esa foto es de su madre; 3. Dice que me ha comprado un regalo; 4. (Me) pregunta que dónde trabaja mi marido; 5. Dice que se levanta a las siete; 6. Pregunta que cuándo me llama por teléfono; 7. Dice que no tiene tiempo para ayudarme a hacer la traducción; 8. Pregunta si les invito a mi fiesta de cumpleaños; 9. Dice que le parece muy buena nuestra profesora; 10. Dice que ese jersey le gusta mucho; 11. Dice que mañana viene a nuestra clase y nos trae los libros.

Ejercicio 5.
1. Marek (me) pregunta dónde está la embajada de Polonia; 2. Isabel dice que tiene una reunión y (que) no puede verme esta tarde; 3. Jesús (me) pregunta si puedo llamar a Pablo, que él no tiene su teléfono; 4. Cristina dice que esta tarde va a un concierto de piano y (me) pregunta si voy; 5. Ana dice que mañana no tengo clase.

Ejercicio 6.
Me dice que está estudiando español en la universidad, que le gustan mucho las clases, que los profesores son muy buenos y que les explican todo muy bien. Dice que la ciudad es muy bonita y que la gente les trata muy bien. Pero dice que hay una cosa que no le gusta mucho: la comida. Dice que no se acostumbra a los nuevos sabores. Dice que otro día me escribe y me cuenta más cosas.

Tema 26. Las oraciones de relativo

Ejercicio 1.
1. donde; 2. que; 3. donde; 4. donde; 5. que; 6. que; 7. donde; 8. donde; 9. que.

Ejercicio 2.
1. He comprado un libro que es sobre Velázquez; 2. Estuve en una fiesta donde conocí a una chica muy guapa; 3. Vi una película que me gustó mucho; 4. Conozco un río donde nos podemos bañar; 5. Paco me presentó a un amigo que es inglés; 6. Estuvimos en una plaza donde hay un monumento muy grande; 7. Tengo un libro que explica la gramática muy bien; 8. Trabajo en una empresa donde hay posibilidades de promoción; 9. Leo un periódico que sale una vez a la semana; 10. Vivo en un país donde la gente es muy amable y divertida; 11. Conozco un restaurante donde se come muy bien.

Ejercicio 3.
1. Mi hermana trabaja en una farmacia donde venden medicinas naturales; 2. Siempre desayuno en una cafetería del centro donde veo a mucha gente famosa; 3. Mi tía Anunciación vive en una casa con jardín donde tiene muchas plantas tropicales; 4. Mi abuelo tiene una caja muy antigua donde guarda fotos de su juventud; 5. Algunos compañeros de clase viven en un barrio donde no hay metro; 6. El meteorito cayó en la calle donde vive Alejandro.

Ejercicio 4.
1. donde; 2. que; 3. donde; 4. donde; 5. que.

Ejercicio 5.
1. Un triciclo es un vehículo que tiene tres ruedas y es para niños; 2. Un sacacorchos es un objeto que sirve para abrir botellas; 3. Una gabardina es un abrigo que usamos los días de lluvia; 4. Un adverbio es una parte de la oración que modifica al verbo; 5. Un estanco es un lugar donde compramos sellos; 6. Unas castañuelas son un objeto de música que sirven para tocar y bailar canciones populares.

Ejercicio 6.
1-h El profesor es la persona que enseña en un colegio; 2-j El médico es la persona que trabaja en un hospital; 3-e El veterinario es la persona que cura a los animales; 4-f El abogado es la persona que defiende a sus clientes en los juicios; 5-k El traductor es la persona que traduce textos de una lengua a otra; 6-b El cocinero es la persona que cocina la comida; 7-g El arquitecto es la persona que dibuja los planos de las casas; 8-c El piloto es la persona que conduce aviones; 9-d El portero es la persona que cuida y vigila de un edificio; 10-a La azafata es la persona que atiende a los pasajeros de un avión.

Ejercicio 7.
1-k; 2-g; 3-d; 4-j; 5-h; 6-f; 7-e; 8-b; 9-c; 10-i; 11-l

Tema 27. Las oraciones temporales

Ejercicio 1.
1. Después de hacer la paella, nos sentamos a comer; 2. Después de comprar unas frutas, me voy a casa; 3. Después de cenar, leo el periódico; 4. Después de hablar con ella, empezó a llorar; 5. Después de salir de clase, va a trabajar; 6. Después de ver la foto, lo he reconocido; 7. Después de lavar la ropa, la he planchado.

Ejercicio 2.
1. Antes de ver la tele, ordena tu habitación; 2. Antes de salir a la calle, poneos un abrigo; 3. Antes de preparar este plato, lee la receta; 4. Antes de hacer vuestras camas, cambiad las sábanas; 5. Antes de hacer una reserva, pregunta si hay habitaciones libres; 6. Antes de pintar el salón, compra varios botes de pintura; 7. Antes de darme el examen, poned el nombre.

Ejercicio 3.
1. desde hace; 2. desde que; 3. desde que; 4. desde hace; 5. desde hace; 6. Desde que; 7. desde que; 8. desde hace.

Ejercicio 4.
1. Hace una hora que estoy viendo la televisión; 2. Hace tiempo que observo lo que pasa en la casa; 3. Hace dos horas que estás comiendo; 4. Hace mucho tiempo que estoy trabajando; 5. Hace unos días que está muy mal.

Ejercicio 5.
1. desde que; 2. desde hace; 3. antes de; 4. desde hace; 5. desde que; 6. desde hace; 7. después de; 8. desde que; 9. Antes de.

Ejercicio 6.
1-e; 2-c; 3-f; 4-b; 5-a.

Ejercicio 7.
1. desde que; 2. Hace; 3. antes de; 4. desde hace; 5. desde que; 6. después de; 7. desde hace.

Ejercicio 8.
1. desde hace; 2. antes de; 3. Después de; 4. Desde que.

Tema 28. Las oraciones causales, finales y consecutivas

Ejercicio 1.
1-f; 2-h; 3-a; 4-d; 5-b; 6-i; 7-g; 8-c.

Ejercicio 2.
1. Como, ø; 2. ø, porque; 3. Como, ø; 4. ø, porque; 5. ø, porque; 6. Como, ø.

Ejercicio 3.
1. Ya han venido los invitados, así que vamos a comer; 2. Gastan mucho, así que no tienen dinero; 3. Algo tienen que ocultar, así que se ven en secreto; 4. Va a muchos médicos, así que debe de estar enfermo; 5. Los chicos tienen sed, así que voy a hacer una limonada; 6. Hace mucho tiempo que no lo veo, así que no lo voy a reconocer; 7. Habla muy deprisa, así que no lo entiendo; 8. No estudia gramática, así que comete muchas faltas; 9. No trabajó bastante, así que suspendió el curso; 10. Es muy simpático, así que tiene muchos amigos.

Ejercicio 4.
1. porque; 2. porque; 3. porque; 4. así que; 5. así que; 6. porque; 7. así que; 8. así que; 9. así que; 10. porque; 11. así que.

Ejercicio 5.
1. Llamé al hotel para reservar una habitación; 2. Me llamó ayer para pedirme perdón; 3. He comprado una guitarra para aprender a tocarla; 4. Ha pedido un crédito al banco para comprarse una casa; 5. Voy al gimnasio para adelgazar; 6. Necesitas un diccionario para hacer esta traducción; 7. Llamó al dentista para pedir una cita; 8. Fui a la biblioteca para devolver unos libros; 9. Nos reunimos en mi casa para preparar la fiesta; 10. He vuelto a la oficina esta tarde para terminar el informe.

Ejercicio 6.
1. para; 2. porque; 3. para; 4. porque; 5. para; 6. así que.
Verdaderas: 2, 3.
Falsas: 1.

Anexo 1. Pretérito perfecto y pretérito indefinido

Ejercicio 1.
Pretérito perfecto: Hace diez minutos; Esta semana; Hace un momento; Esta noche; Estas navidades.
Pretérito indefinido: En 2001; Anoche; El 14 de abril; El mes pasado; Hace cinco años.

Ejercicio 2.
1. hemos hecho; 2. llegó; 3. hemos visto; 4. se enfadó; 5. Hemos trabajado.

Ejercicio 3.
1. Has leído, leí, he leído; 2. vi, vi; 3. Has comprado, compré, he comprado; 4. Has montado, monté, he montado; 5. Habéis probado, hemos probado, probé.

Ejercicio 4.
1-h estuve; 2-f he leído; 3-a fuimos; 4-d alquilamos; 5-g compré; 6-l he llamado, he reservado; 7-c hicimos; 8-i ha llamado; 9-k he venido; 10-j Ha salido; 11-e ganó.

Ejercicio 5.

Hoy: Ha recibido una carta; Ha hecho la compra en un supermercado.

Ayer: Fue a la ópera; Ingresó en su cuenta 3.000 €.

Este mes: Ha comprado un anillo de oro.

El mes pasado: Estuvo en Buenos Aires; Visitó un museo.

Anexo 2. Pretérito perfecto e indefinido y pretérito imperfecto

Ejercicio 1.

1. era muy caro; 2. tenía mucho trabajo; 3. había demasiada gente; 4. estaba cansada; 5. tenía unos días libres; 6. no estaba invitada; 7. ponían una película muy buena en la tele; 8. era muy poco formal; 9. tenía el coche averiado; 10. hacía mucho calor.

Ejercicio 2.

1. hacían, decidió; 2. tenía, hice; 3. desayunamos, teníamos; 4. paseaba, empezó; 5. dolía, comí.

Ejercicio 3.

1. comía; 2. iba; 3. visité; 4. hacíamos; 5. salía; 6. viajé; 7. comí; 8. tomábamos; 9. iba; 10. fui.

Ejercicio 4.

0. había; 1-e llegó, Estaba, se acostó; 2-b Estaba, hice; 3-f Ganamos, teníamos; 4-a dolía, fui; 5-d pudimos, Llegamos, había.

Ejercicio 5.

1. Eran; 2. llegaron; 3. abrió; 4. noté; 5. Eran; 6. Había; 7. estaba; 8. llevaron; 9. llevaron; 10. había; 11. Han robado; 12. atracaron; 13. estaba; 14. había; 15. Rompieron; 16. entraron.

Ejercicio 6.

1. tuve; 2. volví; 3. invité; 4. se levantó; 5. entró; 6. sabía; 7. empecé; 8. respondía; 9. estaba; 10. hice; 11. abrí; 12. saqué; 13. había; 14. puse; 15. miró; 16. empezó; 17. estaba; 18. sentí; 19. descubrí.

Autoevaluación

1. las; 2. la; 3. ø; 4. recomiendo; 5. acuesta; 6. seguimos; 7. pongo; 8. tiene; 9. estamos; 10. es; 11. Estoy; 12. La tuya; 13. la vuestra; 14. más que; 15. el mayor; 16. el más alto; 17. Algunas; 18. nada; 19. ø; 20. te lo; 21. dentro de; 22. cerca; 23. perfectamente; 24. rápida; 25. mucho; 26. demasiados; 27. Podemos; 28. Tengo que; 29. Acabo de; 30. sigue; 31. o; 32. pero; 33. le; 34. hizo; 35. ha escrito; 36. fuimos; 37. vimos; 38. era; 39. He desayunado; 40. iba / ha encontrado; 41. dolía / tomé; 42. luego; 43. Salgan; 44. Termínatela; 45. seguro; 46. preguntan; 47. porque; 48. desde que; 49. desde hace; 50. para.